An Mac Tíre
a chuaigh go tóin na farraige

Téacs le Orianne Lallemand
Ealaín le Eleonore Thuillier

LEABHAR BREAC

Bhí mac tíre ann fadó agus bhí an-tóir aige ar an bhfarraige, ar na báid a bhíonn ag seoladh uirthi agus ar na héisc a bhíonn ag snámh inti. Mactíre ab ainm dó.

Maidin amháin, bhí Mactíre ag iascach sa sruthán nuair a mhothaigh sé rud éigin ag tarraingt ar an dorú. Bhí rud éigin i ngreim aige! Tharraing sé agus tharraing sé … agus tharraing sé buidéal i dtír! Istigh ann bhí bileog pháipéir.

Bhí iontas ar Mhactíre. Thóg sé an bhileog amach agus léigh sé í: *Mapa d'órchiste an fhoghlaí mara cáiliúil Macán Maol. Is leatsa an t-ór má tá tú sách glic!*

Bhí Mactíre ar bís. In airde san áiléar leis. Tháinig sé ar hata tríshleasach ann, scaif dhearg agus claíomh adhmaid.
Ghléas sé é féin, d'fhéach sa scáthán agus d'fhógair os ard,
'Is mise Mac Maol na Mara! Dar m'fhéasóg, is liomsa an t-órchiste!'

Nuair a bhí sé in am lóin, thug Mactíre a chairde le chéile.
'Crochaimis ár seolta!' ar sé, agus léim in airde ar an mbord.
'Gabhaimis sa tóir ar an órchiste!'

'Chun na farraige linn, mar sin,'
arsa Vailintín, agus é ar bís.

'Chun na trá linn,' arsa Lúlú.
'Céard is trá ann?' arsa Yéti.
Agus bhuail siad bóthar.

Nach breá í an trá! Fad a bhí a chairde sínte ar an ngaineamh, ag déanamh bolg le gréin, nó ag cuardach sliogán, bhí Mactíre ag siúl síos suas go mífhoighneach.

'Imeoimis, a chomrádaithe,' ar sé arís, 'tá an t-órchiste ag fanacht linn!'
'Fan ort go fóill,' arsa a chairde, 'tá an trá go hálainn.'
Bhí bád beag ar ancaire gar don chladach. 'Turas gearr ar an bhfarraige agus tabharfaidh mé ar ais í,' arsa Mactíre leis féin.

Chuir Mactíre a smut le gaoth agus d'imigh ag seoltóireacht roimhe sa tóir ar oileán an órchiste. Bhí an mapa i lapa amháin aige agus a theileascóp sa lapa eile nuair a d'éirigh long seoil amach os a chomhair.

‘Mairnéalaigh!’ ar sé, ‘beidh siad in ann
mé a threorú!’
Tháinig an long seoil ina threo go gasta.
Ná habair! Bhí sí lán le foghlaithe mara!
‘Faoi réir do bhordáil!’ a bhéic siad,
‘Gan taise gan trócaire!’

Léim an captaen ar bord. Chuaigh an seanchú mara ag cuardach ar fud an bháid agus chaith sé an mála agus an phicnic san fharraige.

Rinne Mactíre iarracht an mapa a chur i bhfolach. Ach faraor....

‘Cad atá i bhfolach ansin agat, a thalmhaí?’ arsa an foghlaí mara, agus tharraing sé de an bhileog. ‘Dar m’fhéasóg,’ ar sé, ‘mapa clúiteach Mhacáin Mhaoil! Tá an t-órchiste againn!’ a bhéic sé go ríméadach.

Bhí díomá ar Mhactíre. Bhí sé ina aonar i lár na farraige, gan mhapa, gan phicnic. Ach ní raibh deireadh fós lena chuid trioblóidí! D'ardaigh an ghaoth agus las scal tintrí an spéir. 'Ná habair,' arsa Mactíre, 'stoirm!'

Sular éirigh le Mactíre an seol a ísliú, tháinig maidhm mhór mhillteach agus bháigh sí an bád. Síos le Mactíre go tóin poill.

Nuair a tháinig Mactíre chuige féin, bhí sé ina luí i sliogán mór ar thóin na farraige.
'Peoch!' ar sé, agus léim sé amach as an oisre. 'Cá bhfuil mé?'
'Faoin bhfarraige, a thalmhaí,' arsa deilf leis. 'Suigh in airde ar mo dhroim. Tá Manannán, dia na farraige, ag fanacht leat.'

'Táim faoin bhfarraige?' arsa Mactíre leis féin go faiteach.
'Cén chaoi a bhfuil mé in ann análú?'
'Tá cumhachtaí móra ag Manannán,' arsa an deilf.

Leag an deilf Mactíre anuas i bpálás iontach déanta as péarlaí is sliogáin.

‘Faoi dheireadh thiar, a Mhactíre!’ arsa Manannán go sásta. ‘Thug an buidéal anseo thú!’
‘An buidéal?’ arsa Mactíre. Bhí iontas an domhain air.

‘Míneoidh mé an scéal duit, ach ar dtús caithfidh mé cabhrú leat. Tá na lapóga sin atá agat rómhall faoin bhfarraige.’

D’ardaigh Manannán a thrírinn agus … rinneadh eireaball éisc de chosa deiridh an mhic tíre!

Bhí Mactíre chomh sásta gur iompaigh sé tóin thar ceann faoin bhfarraige.

‘Ar fheabhas!’ arsa Manannán. ‘Ar aghaidh linn go beo!’

Le cúpla buille dá eireaball, tháinig
Mactíre go háit a raibh éisc den uile dhath,
sliogáin mhistéireacha agus bláthanna feamainne ann.

'Seo í mo ríocht, an fharraige,' arsa Manannán.
'Nach í atá go hálainn!' arsa Mactíre.
'Ach tá sí i mbaol,' arsa Manannán.
'I mbaol?' arsa Mactíre, agus uafás air.
Ba ansin a chuala siad an bhéic.
'Cabhair!'

Ar ghrinneall na mara, bhí toirtís greamaithe in eangach iascaigh. Shnámh Mactíre go dtí í agus ghearr sé an eangach lena fhiacla.

'Go raibh maith agat,' arsa an toirtís, 'shábháil tú mé. Tá na heangacha sin contúirteach, téimid i bhfastú iontu i gcónaí.'

Shnámh Mactíre agus Mannánán thar aill faoin bhfarraige. De réir a chéile, bhí an fharraige ag téamh ina dtimpeall. Ní raibh éisc le feiceáil agus bhí an t-uisce ag éirí liath.

'Céard atá ag tarlú anseo?' arsa Mactíre go himníoch.

‘Truailliú!’ arsa Manannán go míshásta. ‘Tá muintir na talún ag caitheamh a mbruscar san fharraige. Tá siad á milleadh de réir a chéile. Sin an fáth go bhfuil do chúnamh uainn.’

‘Ach cad is féidir liomsa a dhéanamh le stop a chur leo?’ arsa Mactíre, agus é trína chéile.

‘Inis do na talmhaithe faoi do thuras faoin bhfarraige. Abair leo

Thug Manannán Mactíre go dtí long bháite. Ar an ngaineamh, beagnach clúdaithe ag an bhfeamainn, bhí seanchófra mara agus istigh ann ... míle bonn óir!

‘Seo é órchiste Mhacáin Mhaoil,’ arsa Manannán.
‘Is leatsa anois é. Sin é a bhí á chuardach agat, nach ea?’

D’fhéach Mactíre ar an órchiste, ansin dhún sé an cófra.
‘Go raibh maith agat, a Mhanannáin, ach níl sé uaim.
Seo é an fíor-órchiste thart timpeall orm, an fharraige!’

'Tuigeann tú an scéal go maith,' arsa Manannán. 'Ach cén chaoi a bhféadfaidh mé buíochas a ghlacadh leat?'
'Dá dtabharfá mo lapaí agus mo bhád ar ais dom, bheinn an-bhuíoch díot,' arsa Mactíre.
'Tabharfaidh, gan amhras,' arsa Manannán, agus rinne sé gáire.
'Agus ní chuirfidh na foghlaithe mara isteach arís ort!'

Agus is mar sin a tharla go raibh Mactíre ar ais ar an halmadóir arís agus é ag seoladh na farraige móire.

Bhí an ghrian imithe faoi
nuair a tháinig Mactíre i dtír ar an trá.
'Is ansin atá tú!' arsa Lúlú go sásta.
'Cá raibh tú imithe orainn?'
'Bhí mé imithe ar thóir an órchiste, agus tháinig mé air!'
'I ndáiríre?' arsa Vailintín. 'Agus cá bhfuil sé, mar sin?'
'Taraigí anseo,' arsa Mactíre, 'go n-inseoidh mé daoibh é.'

Sa scéal seo, tá an pictiúr ar leathanach 15 bunaithe ar an bpictiúr Maidhm Mhór Kanagawa le Hokusai.

Stiúrthóir Grafach: Sabrina Regoui
Leagan Amach: Mylène Gache
Stiíúrthóir Ginearálta: Jean-Christophe Collett
Déantús: Salima Hragui
Eagarthóir: Lise Cornacchia

ISBN: 978-1-911363-26-2

Cód Comhléiriúcháin: I19001A3